LES
PALESTINIENS

L'édition originale de cet ouvrage
a paru sous le titre : *The Palestinians*
Copyright © Aladdin Books Limited 1986
70, Old Compton Street, London W1
All rights reserved

Adaptation française de François Carlier
Copyright © Éditions Gamma, Tournai, 1987
D/1987/0195/7
ISBN 2-7130-0833-6
(édition originale : ISBN 086313 484 X)

Exclusivité au Canada :
Éditions Saint-Loup, 306 est,
rue Saint-Zotique, Montréal, Qué. H2S 1L6
Dépôts légaux, 2ᵉ trimestre 1987
Bibliothèque nationale du Québec
Bibliothèque nationale du Canada
ISBN 2-920441-22-1

Illustrations de Ron Hayward Associates

Imprimé en Belgique

La photo de la première page de la couverture montre des réfugiés palestiniens qui vivent dans le camp Buss, au Liban. Celle de la dernière page représente le chef discuté de l'Organisation de libération de la Palestine, Yasser Arafat.

L'auteur de ce livre, David McDowall, a étudié l'histoire de l'Islam et l'histoire moderne du Moyen-Orient. Il a collaboré avec des organismes d'assistance et de développement au Moyen-Orient, et notamment avec l'UNRWA, l'office de secours des Nations unies aux réfugiés palestiniens.

Le conseiller, Dr Christopher Coker, est professeur de Relations internationales à la London School of Economics de Londres.

Sommaire

LES PALESTINIENS

David McDowall — François Carlier

Éditions Gamma — Éditions Saint-Loup

Deux peuples, une terre

Les Palestiniens sont disséminés dans tout le Moyen-Orient. Deux millions vivent dans la région qu'ils appellent Palestine, mais qui est gouvernée par les Israéliens. Deux millions et demi résident hors de Palestine, où ils ne peuvent revenir. Ils forment un peuple qui n'a pas d'État propre, ni de territoire où ils puissent vivre comme ils le désirent. La condition des Palestiniens constitue un des problèmes les plus sérieux et discutés face au monde.

Les Palestiniens musulmans et les Israéliens juifs se disputent le même territoire. Cette lutte s'est poursuivie durant la plus grande partie de ce siècle. En 1947, les Nations unies tentèrent de partager entre les deux groupes le sol de la Palestine, mais cette division mena à des guerres entre le nouvel État d'Israël et les pays arabes voisins. Ces guerres n'arrangèrent rien, mais Israël conquit toute la Palestine. Le problème était devenu encore plus ardu pour tous, et surtout pour les Palestiniens. Ni eux ni le monde arabe n'acceptent la perte de la Palestine.

Tant qu'on ne trouvera pas de solution pacifique, il y aura plus de sang versé. Une telle solution est d'autant plus nécessaire que les États-Unis soutiennent Israël, alors que l'Union soviétique appuie la Syrie, pays voisin d'Israël. La contestation concernant la Palestine entraîne dès lors un risque particulier de déclenchement d'un conflit international.

Ce livre expose les problèmes qui sous-tendent la rude lutte entre les Israéliens et les Palestiniens. Des points de vue très différents sont adoptés à propos de ce conflit : lorsque chacun des deux peuples en conflit considère qu'il lutte pour sa survie, il se défie tellement de l'autre qu'une solution de compromis semble presque impossible.

▷ Ces Palestiniens vivent à Amman, en Jordanie. Beaucoup de Palestiniens partirent en Jordanie à la suite de la guerre ; la plupart y résident comme réfugiés.

La Palestine

Les Palestiniens actuels descendent des plus anciens habitants connus de la région, qui se marièrent ensuite avec divers peuples conquérants. Parmi ceux-ci, il y eut les Philistins, d'après lesquels le pays fut appelé Palestine, et plus tard les Arabes, qui arrivèrent au 7e siècle après Jésus-Christ. Alors les Palestiniens se mirent à parler l'arabe, et la plupart finirent par se convertir à l'islam, religion des Arabes : ils devinrent ainsi des musulmans. Mais environ 10 % des habitants du pays restèrent chrétiens.

La Palestine ne fut généralement pas gouvernée comme une région à frontières bien définies, mais plutôt comme une partie d'une région plus grande. Ainsi, depuis 1516, elle fut englobée dans la Syrie, qui était rattachée à l'Empire ottoman.

▽ La plupart des Palestiniens étaient des agriculteurs : ils cultivaient du blé, du sésame, des olives et des fruits, sur des terres travaillées par les mêmes familles depuis des siècles. Ces communautés agricoles étaient attachées psychologiquement à la ville qui leur servait de marché local, et à la capitale religieuse, Jérusalem.

Peu de Palestiniens avaient une conscience nationale avant 1918, date où les Britanniques vainquirent les Ottomans et conquirent la Palestine. Mais ils acquirent rapidement de nouvelles vues politiques. En 1917, les Britanniques avaient promis aux Juifs, par la déclaration Balfour, un Foyer national en Palestine, dans la mesure où ceci ne causerait pas de tort aux droits civils et religieux de la population du pays (arabe à plus de 90 %). Mais ils avaient aussi promis aux Arabes du Moyen-Orient l'indépendance, prix de leur aide durant la guerre. Les Arabes de Palestine protestèrent contre la déclaration Balfour et réclamèrent l'indépendance. L'administration britannique tenta de concilier les promesses opposées faites aux Juifs et aux Arabes.

▷ Cette carte montre la Palestine telle qu'elle était en 1920. La Grande-Bretagne gouvernait alors la Palestine, comme aussi l'Égypte, l'Iraq et l'actuelle Jordanie, tandis que la France gérait la Syrie et le Liban.

La Palestine en 1920, sous l'autorité britannique

□ Grandes villes
• Petites villes

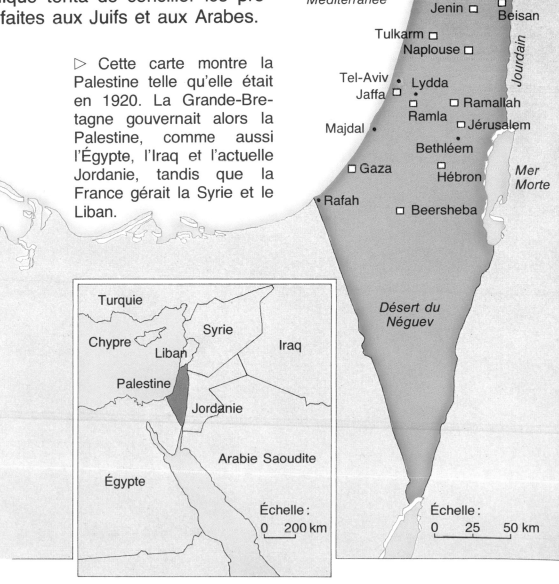

7

Les colons juifs

Le peuple juif a vécu autrefois en Palestine, à côté des autres habitants de cette contrée. Puis les Romains expulsèrent la plupart des Juifs, qui s'étaient révoltés. La petite minorité restée sur place coexista pacifiquement avec la population, arabisée plus tard.

Les Juifs dispersés dans le monde gardèrent vivant le souvenir de Jérusalem et de leur ancienne patrie. Lorsque la persécution des Juifs s'accrut en Europe à la fin du 19ᵉ siècle, beaucoup d'entre eux rêvèrent d'un lieu sûr, où ils pourraient vivre librement et sans crainte. Ils s'appelèrent « sionistes », d'après le nom d'une colline de Jérusalem, le mont Sion. Depuis 1897, leurs espoirs s'étaient en effet orientés vers la Palestine, où ils commencèrent à immigrer. Beaucoup voulaient y créer un État à majorité juive, organisé selon leurs conceptions.

De nombreux Européens étaient favorables au mouvement sioniste. Mais ils ne savaient presque rien de la Palestine, sinon qu'elle était la « Terre promise » par Dieu au peuple juif, d'après la Bible.

△ Six millions de Juifs furent assassinés par l'Allemagne nazie de 1942 à 1945. Cette tragédie rendit les Européens plus favorables à la cause sioniste.
▽ Des Juifs débarquent à Haïfa. Après 1948, la population juive tripla en Palestine : 1,2 million de Juifs arrivèrent d'Europe et des États arabes.

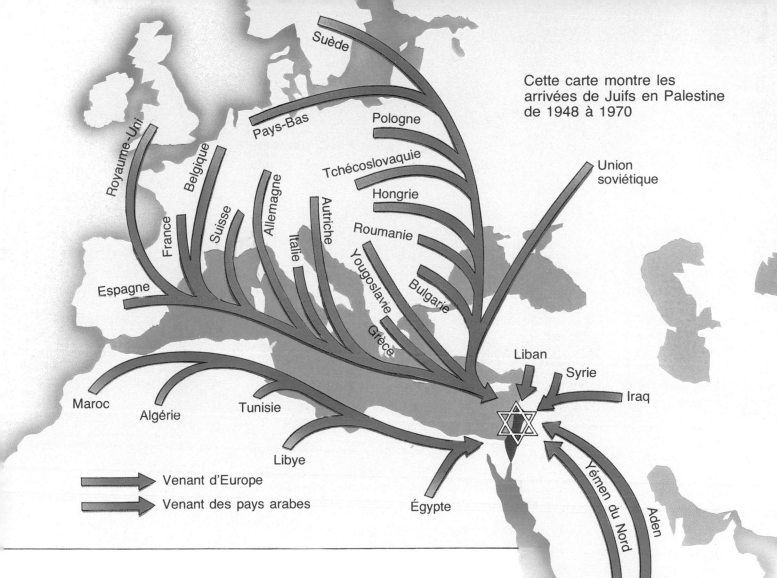

Cette carte montre les arrivées de Juifs en Palestine de 1948 à 1970

Venant d'Europe
Venant des pays arabes

Les Britanniques tâchaient de limiter le nombre des immigrants juifs, en raison des craintes des Palestiniens concernant les ambitions des Juifs. Les Palestiniens attaquèrent les Britanniques pour qu'ils leur rendent leur pays, et les colons juifs pour reprendre les terres qu'ils occupaient. Bientôt les Juifs attaquèrent aussi les Britanniques et les Palestiniens, car ils voulaient s'approprier ces terres.

Vers 1940, durant la domination des nazis en Europe, des millions de Juifs furent exterminés. Il apparaissait donc nécessaire et urgent d'assurer un refuge au peuple juif, et la Palestine semblait tout indiquée. Même après la fin de la Seconde Guerre mondiale, des milliers de Juifs continuèrent à arriver en Palestine. Les affrontements entre Juifs et Arabes y devinrent de plus en plus vifs, et aucun compromis ne paraissait possible. Les Britanniques se rendirent compte qu'ils ne pouvaient satisfaire les demandes contradictoires des deux camps, et ils demandèrent aux Nations unies d'intervenir.

Maroc	252 642
Iraq	124 647
Yémen du Nord	46 447
Tunisie	46 255
Égypte	37 867
Libye	34 265
Algérie	13 119
Syrie	4 500
Liban	4 000
Aden	3 912

Juifs venant des pays arabes

Roumanie	229 779
Pologne	156 011
Bulgarie	48 642
France	27 295
Hongrie	24 255
Union soviétique	21 391
Tchécoslovaquie	20 572
Royaume-Uni	14 006
Allemagne	11 522
Yougoslavie	8 063
Autriche	4 102
Grèce	3 722
Italie	3 615
Pays-Bas	3 603
Belgique	3 451
Suisse	1 899
Suède	880
Espagne	567

Juifs venant d'Europe

La division du pays

Les Nations unies décidèrent en 1947 de diviser la Palestine en deux États d'environ la même grandeur : un État arabe et un État juif. Les Juifs acceptèrent cette décision, qui leur accordait plus qu'ils n'avaient espéré. Les Arabes la rejetèrent, car ils ne voulaient pas céder leur terre aux Juifs, alors qu'ils étaient deux fois plus nombreux qu'eux.

Les troupes britanniques se retirèrent le 14 mai 1948, et les Juifs proclamèrent le même jour l'institution de l'État d'Israël. Les luttes qui sévissaient déjà entre des groupes armés juifs et arabes devinrent une véritable guerre, entre les troupes régulières israéliennes et les armées des pays arabes voisins, qui venaient assister les Palestiniens : chaque camp combattait pour agrandir les zones qu'il contrôlait.

La guerre continua de façon intermittente jusqu'en 1949 : Israël parvint à vaincre les armées arabes et étendit son territoire au-delà des limites accordées par les Nations unies. La plupart des Palestiniens furent chassés du nouvel État juif, un grand nombre par la force et d'autres par la crainte : environ 725 000 Palestiniens devinrent ainsi des réfugiés.

Deux régions non conquises par les Juifs, la Cisjordanie et la bande de Gaza, furent prises en charge respectivement par la Jordanie et par l'Égypte. Les Palestiniens de la Cisjordanie, annexée par la Jordanie, devinrent des citoyens jordaniens.

▷ Le drapeau israélien est monté, après la proclamation de l'État d'Israël. L'étoile de David devient le symbole du nouvel État et de l'espoir qu'ont les Juifs de pouvoir vivre en paix et en sécurité dans un pays qui est le leur.

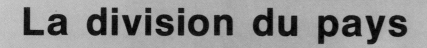

Une résolution des Nations unies demandait que « les réfugiés qui désiraient rentrer chez eux et vivre en paix avec leurs voisins puissent le faire », et que ceux qui ne désiraient pas rentrer soient indemnisés. Mais Israël n'accorda pas cette autorisation et confisqua les terres et les biens des Palestiniens arabes qui avaient fui. Par contre, une nouvelle loi permit à tout « juif » de venir s'établir et vivre en Israël. Les Nations unies continuaient à demander à Israël d'autoriser le retour des réfugiés. D'autre part, les pays arabes refusaient toujours de reconnaître Israël, qui dès lors, se sentant menacé, restait sur pied de guerre. Chacun se rendait compte que rien de définitif n'avait été établi.

▽ À la suite de la guerre de 1948, les Israéliens agrandirent le territoire de leur État: il occupa 72 % de la Palestine, à la place des 54 % accordés par les Nations unies. Mais il restait très vulnérable aux attaques de ses voisins, en raison de son étroitesse.

Territoires accordés aux Juifs en 1947

Territoires accordés aux Arabes en 1947

Annexions juives en 1947-48

Après la division de la Palestine en deux États, les Arabes conservaient la majorité dans chacun d'eux. Et dans l'État juif lui-même, ils possédaient 93 % des terres. Jérusalem devait rester une zone internationale.

98 %

Juifs Arabes

69 %

49 % 51 %

2 %

31 %

État juif   État arabe   Jérusalem

Désert du Sinaï

Échelle:
0   50 km

11

Les expropriations

À la fin de la guerre de 1948-49, les 160 000 Arabes qui étaient restés à l'intérieur des nouvelles frontières de l'État juif, furent déclarés citoyens israéliens. Ces Israéliens palestiniens sont devenus 700 000 aujourd'hui, et ils constituent 17 % de la population.

Israël restait en état de conflit avec les pays arabes voisins, car il craignait d'être attaqué à ses frontières. Il se défiait de l'Égypte, de la Jordanie et de la Syrie, et déclarait ces pays responsables de la bonne conduite des réfugiés qui vivaient sur leurs territoires. Si ces réfugiés armés attaquaient des cibles en Israël, l'armée israélienne ripostait en tirant au-delà de la frontière. Israël se défiait aussi de sa propre population palestinienne, dont une bonne part ne désirait pas vivre sous l'autorité des Israéliens.

Une nouvelle guerre éclata en 1967 entre Israël et ses voisins. Les Israéliens la remportèrent en six jours et ils occupèrent le reste de la Palestine : toute la ville de Jérusalem, la Cisjordanie et la bande de Gaza. L'armée israélienne y exerça le pouvoir.

▽ Environ la moitié des terres de Cisjordanie et de la bande de Gaza sont occupées maintenant par des colons israéliens. Beaucoup d'Israéliens considèrent que ces terres aussi leur ont été promises par la Bible. Ils appellent la Cisjordanie la « Judée-Samarie ». Les Israéliens y ont établi plus de 200 colonies juives de peuplement, occupées par environ 40 000 personnes. Pour permettre ces installations, de nombreux Palestiniens furent expulsés des terres qu'ils cultivaient depuis des siècles.

Après ces conquêtes, Israël se sentit plus en sécurité et déclara que l'ensemble de la Palestine constituait son territoire historique. Mais l'État d'Israël devait y gouverner une importante population hostile. Pour renforcer sa position, il enleva des terres aux agriculteurs palestiniens de Cisjordanie et de la bande de Gaza, et les remit à des colons juifs. Environ la moitié du sol de ces territoires se trouve maintenant entre les mains des Israéliens.

Ces expropriations et d'autres du même genre violent les lois internationales, qui interdisent les ingérences du pouvoir occupant dans la vie quotidienne des territoires occupés : il ne peut pas prendre la terre des habitants ni la remettre à d'autres. Les Palestiniens craignent une expulsion générale.

△ Dans les territoires occupés de Gaza et de la Cisjordanie, l'armée israélienne peut arrêter des suspects sans explication et garder des prisonniers sans jugement. Les contrôles d'identité effectués par l'armée visent d'ordinaire les Palestiniens, car les Israéliens continuent à craindre des attaques et attentats.

La vie dans les camps

▽ Pour beaucoup de réfugiés, la vie dans un camp est devenue une façon de vivre ordinaire. La plupart d'entre eux devinrent des réfugiés à la suite de la guerre de 1948-49. Certaines familles vivent dans les camps depuis deux générations. Beaucoup de jeunes quittent les camps pour aller travailler dans les exploitations pétrolières des pays environnants, et ils envoient de l'argent à leurs familles. Les services des Nations unies assurent l'enseignement, les soins de santé et l'aide aux nécessiteux.

Le nombre des réfugiés palestiniens croît en raison des naissances, de sorte qu'ils sont actuellement deux millions à être recensés par les Nations unies. Tous proviennent de territoires où l'État d'Israël s'est établi ou qu'il occupe. Plus de 750 000 d'entre eux vivent dans des camps installés en Syrie, en Jordanie ou au Liban, ou bien dans des régions occupées par Israël, en Cisjordanie et dans la bande de Gaza.

Beaucoup de ces réfugiés avaient quitté leur domicile en 1948 pour se mettre à l'abri, en espérant revenir après la fin des combats. Mais eux et leurs descendants vivent encore dans des camps près de 40 ans plus tard. Ils donnent souvent le nom de leur ancien village à la partie du camp qu'ils occupent. Malgré l'action des services des Nations unies, ils se sentent dépendants de la charité mondiale. La plupart ne trouvent que du travail occasionnel.

Les camps ne subviennent qu'aux besoins élémentaires. Les tentes du début ont été remplacées par des abris en blocs de ciment. La distribution d'eau et les installations sanitaires sont sommaires et souvent insuffisantes. Entre les constructions, les allées sont en terre nue, qui devient de la boue en hiver et de la poussière en été. La plupart des camps sont bondés, car leur population a doublé ou triplé. Ainsi, trois des huit camps de Gaza hébergent plus de 40 000 personnes.

Pour entretenir cette population de deux millions de personnes et lui fournir les services essentiels, les frais sont considérables. Les pays membres des Nations unies y subviennent par des contributions volontaires : principalement les États-Unis, le Japon, la C.E.E. et les pays scandinaves. Mais la moitié des pays membres ne donnent rien.

Source : Nations unies, 1985

Réfugiés dans des camps

Réfugiés hors des camps

597 974

236 486

191 406

266 473

135 941

127 658

172 077

201 750

91 231

72 549

Liban

Cisjordanie

Syrie

Gaza

Jordanie

△ Comme le nombre des Palestiniens s'accroît, il y en a actuellement plus qui vivent hors des camps que dans ceux-ci : ils s'installent souvent dans des bidonvilles en bordure des camps. Beaucoup de Palestiniens ont été des réfugiés à plusieurs reprises : parmi les réfugiés établis en Jordanie, un bon nombre sont venus en 1967 de Gaza ou de Cisjordanie, où ils s'étaient déjà installés comme réfugiés après le partage de la Palestine en 1948 ou durant la guerre qui suivit.

15

Des citoyens de seconde zone ?

Les lois israéliennes accordent les pleins droits civils et culturels aux Arabes qui vivaient à l'intérieur des frontières d'Israël d'avant 1967, et l'arabe y est une des langues officielles. Pourtant, beaucoup de Palestiniens d'Israël souffrent de discrimination.

Ayant été dépouillés de leurs terres, la plupart des villageois palestiniens ne trouvent du travail que comme ouvriers manuels à bas salaires dans les sites de constructions, dans les restaurants et dans les fermes juives. Même s'ils avaient de l'argent, ils ne pourraient racheter leurs terres, car la plupart d'entre elles ne peuvent être retirées légalement du contrôle des Juifs. Beaucoup de ceux-ci vivent dans des habitations subsidiées, alors que les Arabes n'obtiennent généralement pas de permis de construire, même à leurs propres frais, malgré la forte surpopulation de leurs maisons : ils sont en effet quatre fois plus nombreux qu'en 1948.

▽ Chaque jour, des milliers de travailleurs palestiniens font de longs trajets en autobus, depuis les territoires occupés jusqu'en Israël, pour y chercher du travail. Beaucoup d'entre eux doivent alors marchander un accord avec les employeurs israéliens, pour des travaux temporaires dans des sites de constructions ou des usines. Ils doivent retourner chaque soir en Cisjordanie ou à Gaza, car les lois israéliennes ne leur permettent pas de passer la nuit en Israël. Les Palestiniens des territoires occupés n'ont pas la citoyenneté israélienne.

Les Palestiniens de Cisjordanie se sentent traités en étrangers dans leur propre pays. Les colons juifs y jouissent de plus de liberté qu'eux-mêmes et reçoivent d'importants subsides pour leurs exploitations.

Les colons juifs et les Palestiniens sont soumis à des codes de lois différents. Les Palestiniens déclarent que l'occupation israélienne entrave le développement de l'économie locale. Ainsi, les produits israéliens subsidiés sont vendus sans taxes à Gaza et en Cisjordanie, alors que beaucoup de produits de ces régions ne peuvent être vendus en Israël. Les Israéliens affirment que, depuis 1967, la situation s'est améliorée pour les Palestiniens. Malgré tout, certains Israéliens, comme les Palestiniens, critiquent le gouvernement d'Israël pour son comportement envers les Palestiniens.

▽ Beaucoup de fermiers palestiniens ont de la peine à concurrencer les produits subsidiés des fermes israéliennes, vendus en Cisjordanie et à Gaza; ils renoncent dès lors à cultiver leurs propres terres et s'engagent comme travailleurs temporaires dans les fermes israéliennes. Ainsi le débat continue: les Israéliens ont-ils fait fleurir le désert, ou bien ont-ils contribué à détruire un système de culture viable et centenaire?

Les exilés

▽ Il est impossible de savoir exactement combien il y a de Palestiniens et où ils vivent. Le dessin ci-dessous montre où la plupart des Palestiniens résident actuellement. Par suite de la guerre de 1948, la population de la Jordanie devint à 65 % palestinienne. Plus de 500 000 Palestiniens vivent dans les pays du golfe Persique, où ils ont de bons emplois. Ils ont contribué de façon importante au développement de ces régions. Les réfugiés palestiniens sont réputés pour leur niveau d'instruction : il y a chez eux une plus forte proportion d'universitaires que dans la plupart des pays.

En raison de ce qui est arrivé à leur pays, des Palestiniens vivent dans tout le monde arabe : certains dans des bidonvilles, et d'autres, plus heureux, dans les riches pays producteurs de pétrole, où ils gagnent de bons salaires. Tous les pays arabes soutiennent leur cause politique, y compris l'Égypte, le seul pays arabe qui ait conclu la paix avec Israël. Les Palestiniens sont nécessaires dans le monde arabe, en raison de leur instruction et de leurs compétences. Mais ils sont aussi traités avec prudence, car beaucoup d'entre eux mènent une campagne active pour que les pays arabes adoptent une attitude plus ferme envers Israël. Certains utilisent les pays arabes qui les ont accueillis comme des bases d'où ils effectuent des attaques contre Israël ; et ceci a entraîné des représailles israéliennes contre tous les pays voisins, à un moment ou à un autre. Par ces raids destructeurs, les Israéliens veulent forcer les pays d'accueil à surveiller les immigrés.

La Jordanie a accueilli plus d'un million de Palestiniens, ainsi que des Cisjordaniens qui ont la nationalité jordanienne, et elle a la plus longue frontière avec l'État d'Israël.

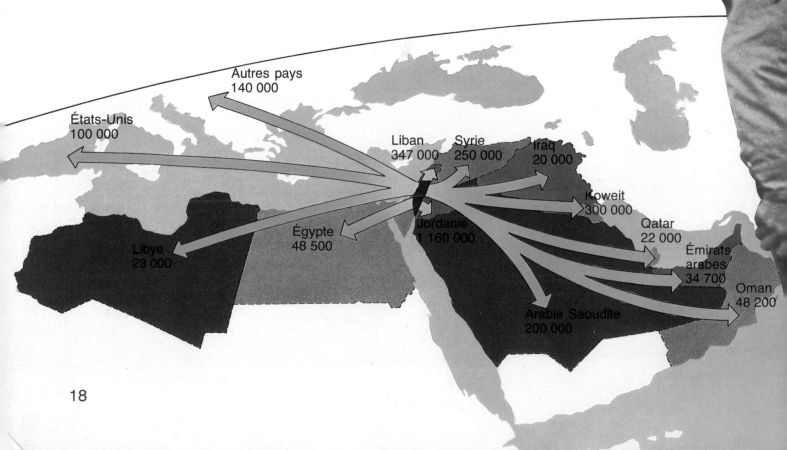

Autres pays 140 000

États-Unis 100 000

Liban 347 000

Syrie 250 000

Iraq 20 000

Koweit 300 000

Qatar 22 000

Égypte 48 500

Jordanie 1 160 000

Émirats arabes 34 700

Oman 48 200

Libye 23 000

Arabie Saoudite 200 000

Il est pratiquement impossible à la Jordanie d'échapper au conflit qui oppose les Israéliens et les Palestiniens. Tout en soutenant les revendications palestiniennes, la Jordanie ne peut se laisser détruire pour cette cause. De rudes combats ont déjà opposé son armée aux milices palestiniennes, en 1970-71, en raison du développement rapide de l'Organisation de libération de la Palestine (ou O.L.P.) en territoire jordanien.

▽ Les réfugiés palestiniens n'ont pu emporter qu'une petite part de leurs biens. Cette femme et sa famille traversent le pont Allenby, entre la Cisjordanie et la Jordanie, après l'invasion israélienne de 1967. Des soldats jordaniens regardent.

L'O.L.P.

Beaucoup d'Occidentaux ne voient dans l'O.L.P. (Organisation de libération de la Palestine) qu'une organisation terroriste. En fait, c'est un organisme à la fois politique et militaire, fondé en 1964, qui recouvre divers groupes plus petits, jouissant chacun d'une certaine liberté d'action. L'O.L.P. est reconnue par plus de cent pays et par les Nations unies comme le représentant politique des Palestiniens.

La direction de l'O.L.P. souhaiterait un État palestinien unique, comprenant des Arabes et des Juifs, mais reconnaît que ce vœu est utopique. Elle accepterait probablement la coexistence de deux États en Palestine, un juif (Israël), et un arabe (la Palestine), divisés à peu près comme avant 1967.

◁ En 1974, Yasser Arafat prononça un discours à la tribune des Nations unies. Beaucoup espérèrent que ceci mènerait à des pourparlers de paix entre Israël et les Palestiniens. Mais Israël et les États-Unis avaient déjà refusé de négocier avec l'O.L.P. La déception entraîna un retour à la violence.

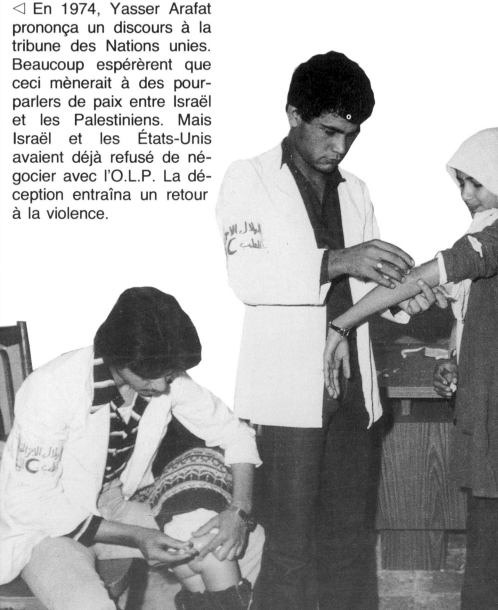

L'O.L.P.
Elle refuse de reconnaître le droit d'existence de l'État d'Israël, parce que celui-ci ne reconnaît pas l'O.L.P. ni les droits des Palestiniens à l'autodétermination et à la possession d'un pays qui soit le leur.

Les États-Unis
Ceux-ci, comme la Grande-Bretagne et les autres pays occidentaux, refusent de reconnaître l'O.L.P., tant qu'elle ne reconnaît pas Israël et renonce à la violence. Les États-Unis ne reconnaissent pas un droit des Palestiniens à l'autodétermination.

Israël
Les Israéliens ne sont pas portés à reconnaître le droit d'autodétermination des Palestiniens, parce qu'ils croient que ceux-ci sont bien déterminés à obtenir la destruction d'Israël, dès qu'ils seraient reconnus.

L'Impasse
Israël refuse de discuter avec l'O.L.P., quelles que soient les circonstances, parce qu'il considère l'O.L.P. comme une organisation terroriste, responsable de nombreux attentats meurtriers contre les Israéliens.

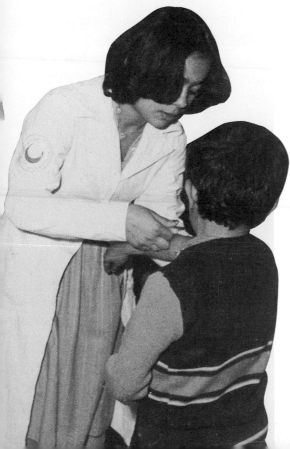

▽ L'O.L.P. assure des soins de santé par la Société palestinienne du Croissant rouge, qui agit dans les camps de réfugiés du Liban.

Beaucoup de Palestiniens critiquent la façon dont l'O.L.P. défend leur cause, mais continuent à la soutenir parce qu'ils n'ont pas d'autre représentant. L'O.L.P. est responsable devant le Congrès national palestinien, un parlement constitué de Palestiniens élus dans le monde entier. Mais il y a de fortes divergences entre les différents groupes de l'O.L.P., et ces divisions se retrouvent dans la population palestinienne. La plupart des Palestiniens reconnaissent Yasser Arafat comme président et soutiennent le mouvement le plus important, al-Fatah, qu'il dirige. Mais beaucoup d'autres soutiennent des groupes différents, qui critiquent la politique d'Arafat et qui ont des vues autres et parfois plus violentes sur la façon d'établir un État palestinien. Certains refusent d'avance tout compromis territorial avec Israël. Tous ces groupes ont effectué des attaques en territoire israélien.

En tant qu'organisation générale qui recouvre les groupes, l'O.L.P. tâche de fournir certains services à la population palestinienne : des syndicats qui s'efforcent d'améliorer les conditions de travail, des soins de santé, des écoles et des centres de formation professionnelle, là où c'est nécessaire.

21

Terrorisme ou combat pour la liberté?

Une population recourt au terrorisme pour obtenir ce qu'elle veut, quand elle croit qu'elle ne peut y arriver par la voie diplomatique ou militaire. Peu de Palestiniens portent des armes, et rares sont ceux parmi eux qui ont attaqué des cibles civiles. Mais en raison des actions de quelques-uns, les Palestiniens sont considérés comme des terroristes.

Lorsque les attaques directes de guérilla contre le territoire israélien devinrent plus difficiles à réussir, certains groupes de l'O.L.P. recoururent à des actes de violence spectaculaires et meurtriers, comme les arraisonnements d'avions et les attentats aveugles tuant des femmes et enfants et des non-Israéliens. Ces actes attirèrent l'attention du monde entier sur la Palestine, mais ternirent la réputation de l'O.L.P. et compromirent peut-être la cause des Palestiniens.

△ Un attentat à la bombe dans un bus à Jérusalem, en décembre 1983, tua quatre personnes. Quatre mois plus tard, un groupe juif posa des bombes dans des bus arabes, mais elles furent heureusement découvertes à temps. Ces deux cas indiquent que, dans les territoires occupés par Israël, des groupes de population s'opposent encore violemment.

▷ De jeunes recrues du Front populaire de Libération de la Palestine, un des principaux groupes de guérilla dissidents de l'O.L.P.

Des Juifs utilisèrent aussi le terrorisme : contre les occupants anglais et contre des Palestiniens pour les faire fuir en 1948. Et depuis 1980, il y a eu plus d'attaques terroristes juives contre des Palestiniens. Mais le gouvernement israélien a été beaucoup plus efficace pour contenir le terrorisme juif, que ne le fut l'O.L.P., qui semblait souvent hésiter entre les encouragements au terrorisme et des tentatives pour le limiter ou l'arrêter.

Le terrorisme complique la tâche de la direction de l'O.L.P. et rend beaucoup plus difficile tout compromis. Le groupe terroriste d'Abou Nidal est le plus célèbre dissident de l'O.L.P. Sa violence vise à saboter tout dialogue entre les Palestiniens et les Israéliens : il tua par exemple certains des meilleurs diplomates de l'O.L.P.

▽ Un membre du groupe terroriste palestinien « Septembre noir », qui prit onze athlètes israéliens en otage durant les Jeux olympiques de Munich, en septembre 1972. Les terroristes tuèrent deux athlètes, et les autres périrent au cours de la fusillade finale entre les terroristes et la police de l'Allemagne de l'Ouest.

Œil pour œil, dent pour dent

◁ Par suite de l'invasion israélienne au Liban en 1982, des milliers de maisons furent détruites à Tyr, Sidon et Beyrouth, spécialement dans les camps de réfugiés palestiniens. Les bombardements israéliens causèrent 18 000 morts et plus de 30 000 blessés.

Israël a toujours cru dans les ripostes dures : il a dynamité des villages entiers après des attaques palestiniennes, et bombardé des zones urbaines où vivaient des activistes de l'O.L.P. La plupart des victimes des attaques comme des ripostes étaient des civils innocents, passants ou voisins. Mais avec leurs armes supérieures, les Israéliens causèrent beaucoup plus de victimes. Les gouvernements des pays arabes voisins, qui hébergeaient des réfugiés, étaient tenus pour responsables de leur comportement : ils durent les contenir, sous la pression des ripostes. Le Liban ne fut pas assez fort pour le faire.

Les milices de l'O.L.P., expulsées de Jordanie en 1971, se réfugièrent dans le sud du Liban, où elles établirent des bases de guérilla contre Israël. L'armée israélienne les bombarda durant plusieurs années, sans parvenir à arrêter les attaques, de sorte qu'elle envahit finalement le sud du Liban, en 1978. Il y eut alors parmi les civils 2 500 morts et 250 000 personnes déplacées, pour la plupart des Libanais.

En 1981, des avions israéliens bombardèrent un faubourg de Beyrouth, y tuant 300 personnes. Un cessez-le-feu entre Israël et l'O.L.P. fut arrangé alors par les États-Unis ; mais après ses nombreuses violations de part et d'autre, et après l'attentat contre l'ambassadeur d'Israël à Londres, l'armée israélienne envahit à nouveau le Liban. Elle avança jusqu'à Beyrouth et l'assiégea. Des négociations permirent aux troupes de l'O.L.P. de quitter la ville. À la suite des interventions d'Israël au Liban contre les terroristes palestiniens, des camps de réfugiés furent attaqués aussi par les milices libanaises.

▽ En 1982, l'armée israélienne assiégea pendant dix semaines les troupes de l'O.L.P. à Beyrouth, et là se déroulèrent des combats acharnés. La photo montre des troupes de l'O.L.P. qui quittent Beyrouth. Cette guerre du Liban fit critiquer vivement Israël dans le monde, parce que les destructions à Beyrouth avaient causé tant de pertes civiles.

Jérusalem

▽ La Coupole du Rocher, ou Mosquée d'Omar, est le site traditionnel où Abraham voulut sacrifier Isaac. Ce monument et la mosquée voisine d'Al-Aqsa sont sacrés pour les musulmans. Ils ont été construits au 7e siècle sur l'emplacement de l'ancien Temple de Jérusalem, qui est sacré pour les juifs. Les Palestiniens n'admettent pas les constructions de logements entreprises par les Israéliens depuis 1967 à Jérusalem-Est.

Jérusalem ajoute une autre dimension difficile à ce conflit, parce que cette ville est sacrée pour le judaïsme, le christianisme et l'islam. Cité du roi David et ancienne capitale de la Judée, elle fut au centre des espoirs et des prières des Juifs tout au long de leur histoire, et elle est essentielle à leur identité. Pour les chrétiens, elle est le site sacré de la crucifixion et de la résurrection de Jésus-Christ. Pour les musulmans aussi, elle est la ville sacrée, visitée par le prophète Mahomet en un voyage nocturne et mystique que décrit le Coran, livre sacré des musulmans. Jérusalem est devenue au cours des siècles un lieu de pèlerinage pour les fidèles des trois religions. Ni les juifs ni les musulmans (arabes ou autres) n'accepteraient maintenant que ces « Lieux saints » soient aux mains d'un autre groupe religieux. Ceci rend encore plus difficile un compromis entre les Israéliens et les Palestiniens.

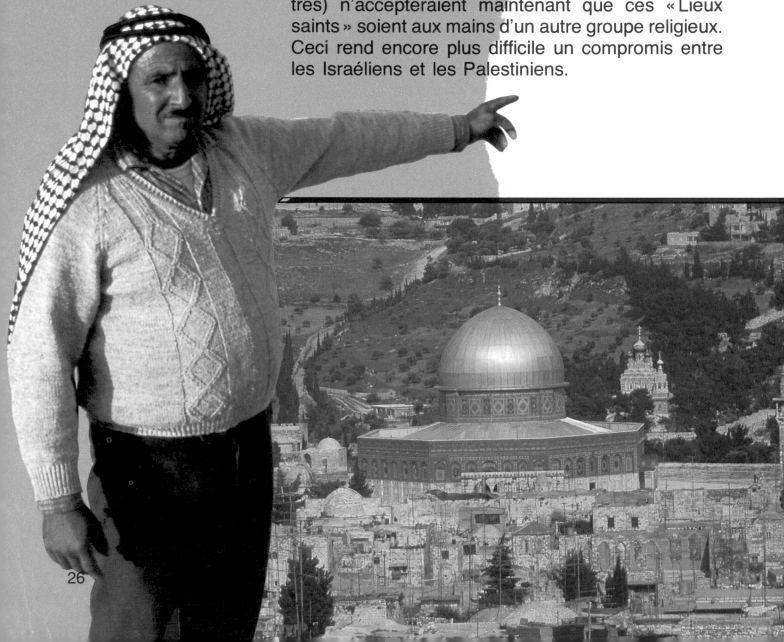

En 1948, les Arabes prirent la partie est de Jérusalem, l'ancienne ville, où se trouvent les Lieux saints. Ils expulsèrent la minorité juive qui vivait là et refusèrent aux juifs l'accès aux Lieux saints. Puis Israël occupa cette partie de Jérusalem durant la guerre de 1967, et l'annexa à la partie ouest. Mais ni les Nations unies ni aucun pays ne reconnut cette annexion comme ayant valeur légale.

De nombreux Palestiniens furent expulsés, pour permettre l'installation de juifs autour de l'est de Jérusalem. Mais même ainsi, la population y reste en majorité palestinienne et n'admet pas que Jérusalem-Est fasse partie de l'État d'Israël. Ces habitants, comme la plupart des Palestiniens, veulent que Jérusalem-Est devienne un jour la capitale d'un État palestinien. Israël n'admettra probablement jamais celà, tout en permettant que les Lieux saints soient visités par tous.

▽ Le mur des Lamentations est le seul vestige de l'ancien Temple. Il constitue pour les juifs le lien le plus précieux avec l'ancien Israël. Ni les juifs ni les musulmans n'admettent que l'autre groupe gouverne la Ville Sainte. Or Jérusalem, ville sacrée pour les trois religions, est maintenant unifiée par une occupation militaire. Les Israéliens admettraient cependant le principe de l'exterritorialité des Lieux saints.

27

La paix est-elle possible ?

La paix n'est possible que si les deux camps acceptent de se partager la Palestine. Israël veut sa sécurité et sa viabilité économique, qui dépendent toutes deux de la paix avec ses voisins. Pour l'obtenir, Israël pourrait offrir aux Palestiniens diverses zones, réparties en Cisjordanie et à Gaza, où les Palestiniens pourraient se gérer eux-mêmes. Mais il est peu probable que ceux-ci acceptent cette solution.

Les Palestiniens veulent plus : ils exigent le droit de gérer toute la Cisjordanie et la bande de Gaza et d'y vivre comme ils l'entendent. Mais aucun gouvernement israélien n'a accepté jusqu'ici de revenir aux frontières de 1949, ni de retirer des territoires occupés les colonies juives installées illégalement.

Certains Israéliens pourraient admettre cette dernière solution, s'il y avait de sérieuses garanties internationales ; mais ils forment une minorité. La plupart des Israéliens n'ont pas confiance dans les Palestiniens et ils estiment dès lors que la situation ne peut être contrôlée que par la force.

△ Les habitants du village de Neve Shalom, situé près de Jérusalem, tentent une expérience de coopération entre Juifs et Arabes. Ils veulent prouver que les deux communautés peuvent vivre ensemble et en paix, sans sacrifier l'identité de chacune. Ceci serait-il une expérience importante, ou un idéal utopique ?

Israël est sans doute assez fort pour garder tous les territoires. Mais il se trouve face à une population palestinienne qui s'accroît. Dans 25 ans, les Palestiniens seront sans doute plus nombreux que les Juifs. Et même si Israël leur rendait la Cisjordanie et Gaza, il devrait tenir compte de la population arabe qui vit dans l'État d'Israël, et qui elle aussi s'accroît plus vite que la population juive. Comme ces Palestiniens ont le droit de vote, leur importance est manifeste.

Entre-temps Israël et les pays voisins sont de plus en plus dépendants de l'aide économique et militaire des grandes puissances. Ceci rend le problème encore plus complexe. Ni les États-Unis ni l'Union soviétique ne pourront porter toujours ce fardeau économique, ni s'efforcer de trouver une solution pacifique sans la bonne volonté et la coopération des nations et des groupes. Le terrorisme importé en d'autres pays pourrait aussi les lasser.

▽ Cette manifestation à Tel-Aviv montre que des Israéliens s'inquiètent du caractère sanguinaire de ce conflit. « Israël doit vivre. — Les autres doivent-ils mourir ? » proclame cet écriteau. Mais sont-ils prêts à faire les concessions nécessaires pour aboutir à la paix ? Et les Palestiniens le sont-ils ? Or s'il n'y a pas de paix, quel groupe gagnera finalement ? Ou bien seront-ils tous les deux perdants ?

Les faits

Chronologie

1908 Immigration croissante de colons juifs. Les habitants protestent auprès du gouvernement turc ottoman.

1917 Déclaration Balfour : le gouvernement anglais approuve « l'établissement en Palestine d'un Foyer national pour le peuple juif ».

1919 Des représentants des Juifs et des Arabes signent un accord concernant l'existence d'une Palestine distincte des États arabes.

1922 La Société des Nations confie à la Grande-Bretagne le mandat sur la Palestine.

1929 Le Fonds national juif poursuit l'achat de terres. Violents affrontements entre Arabes et colons juifs.

1930 Pour calmer les Arabes, la Grande-Bretagne réduit l'immigration juive.

1936 À la suite des persécutions nazies contre les Juifs, la Grande-Bretagne permet plus d'immigration.

1947 Les Nations unies décident la division de la Palestine : acceptée par les Juifs, refusée par les Arabes.

1948-49 Guerre entre Arabes et Israéliens : ceux-ci la gagnent et chassent des Arabes ; d'autres s'enfuient.

1950 Les Israéliens refusent le retour des réfugiés. Les Nations unies prennent ceux-ci en charge.

1967 L'Égypte interdit à Israël la navigation dans le golfe d'Akaba. Israël, menacé par les États arabes, attaque : guerre des Six Jours. Israël conquiert Jérusalem, la Cisjordanie, Gaza, le Sinaï et le plateau du Golan (face à la Syrie). 260 000 Palestiniens fuient en Jordanie.

1968-72 Développement rapide des groupes palestiniens de guérilla, formés par l'O.L.P. Affrontements violents entre ces groupes et l'armée jordanienne, qui les expulse avec fortes pertes.

1978 Des Palestiniens attaquent un bus israélien, causant 39 morts. En riposte, Israël envahit le sud du Liban : 2 500 morts, 250 000 réfugiés et de nombreux villages détruits. Israël se retire, à la demande des États-Unis.

1982 Après un attentat palestinien contre son ambassadeur à Londres, Israël envahit le Liban jusqu'à Beyrouth, pour refouler les milices de l'O.L.P. Des phalangistes libanais tuent 1 000 réfugiés des camps de Sabra et Chatila. Réprobation en Israël et dans le monde.

1983-85 Multiplication des actes de terrorisme commis par des groupes palestiniens dans divers pays. Ainsi, en 1985, meurtre de trois Israéliens à Chypre, détournement de l'*Achille Mauro,* et attentats aux aéroports de Rome et de Vienne.

1985 Échec des efforts de paix de la Jordanie et de l'O.L.P. Celle-ci refuse les conditions mises à sa participation : l'O.L.P. devrait reconnaître Israël, qui ne devrait reconnaître ni l'O.L.P. ni le droit d'autodétermination des Palestiniens.

Organisation de Libération de la Palestine ou O.L.P. Fondée en 1964 et reconnue en 1974 par les pays arabes comme représentant le peuple palestinien, elle a comme président Yasser Arafat et recouvre divers groupements autonomes en partie. Les principaux sont:

Al-Fatah (Mouvement pour la libération de la Palestine): c'est le groupe le plus important, dirigé par Yasser Arafat lui-même. Une scission s'y produisit en 1983: la plupart des membres restèrent fidèles à Arafat, tandis que d'autres se rapprochèrent de la Syrie. Ce mouvement a le plus d'adeptes dans les camps et le peuple.

Front populaire de libération de la Palestine (F.P.L.P.) dirigé par Georges Habache. Il considère que la Palestine ne peut être récupérée que si tout le monde arabe devient socialiste. Ce groupe effectua certain des détournements et attentats les plus spectaculaires, mais déclare y avoir renoncé depuis une dizaine d'années.

Front populaire de libération de la Palestine — Commandement général (F.P.L.P.—C.G.) dirigé par Ahmed Jibril, le principal opposant pro-syrien d'Arafat. Pour cela, le mouvement a été exclus de l'O.L.P.

Front démocratique et populaire de libération de la Palestine (F.D.P.L.P.) de Nayef Hawatmé. Comme le groupe précédent, il se sépara du F.P.L.P. d'Habache en raison de désaccords.

Parmi les nombreux autres groupes, le plus célèbre est la *Faction d'Abou Nidal*, qui fut expulsée de l'O.L.P. Ce mouvement tua des représentants de l'O.L.P. qui voulaient négocier avec Israël et admettaient d'accepter un compromis. Il fut presque certainement responsable des attentats aux aéroports de Rome et de Vienne.

Résolutions des Nations unies sur la Palestine
Les États-Unis insistent pour que l'O.L.P. accepte les résolutions n° 242 et 338 du Conseil de sécurité des Nations unies, qui suivirent les guerres de 1967 et 1973. Ces résolutions demandent le respect des frontières internationales, mais ne mentionnent pas le peuple palestinien ni son droit à l'autodétermination. C'est pourquoi l'O.L.P. refuse ces résolutions, qui lui semblent impliquer une reconnaissance d'Israël. L'Assemblée générale et le Conseil de sécurité des Nations unies ont pourtant affirmé clairement que les Palestiniens ont le droit à l'autodétermination, dans un pays qui soit le leur.

Office de secours et de travaux des Nations unies pour les réfugiés de Palestine dans le Proche-Orient (U.N.R.W.A.) Il fournit, depuis 1950, assistance, soins de santé et instruction aux réfugiés, lorsqu'il apparut qu'Israël ne les laisserait pas revenir dans la partie de la Palestine qui était devenue l'État d'Israël. Cet Office donne actuellement des soins médicaux à 2 millions de réfugiés, l'instruction à 350 000 élèves dans 640 écoles, et une formation professionnelle ou universitaire à plusieurs milliers. Ces services coûtent actuellement 194 millions de dollars par an, mais les pays qui ont créé et financé cet Office désirent de moins en moins en payer les frais. Les États-Unis donnent 67 millions, plus d'un tiers du coût total.

Les dépenses militaires constituent une charge très lourde pour l'économie israélienne, et elle ne pourrait être réduite que par une paix conclue avec les États voisins. Avant 1967, Israël dépensait de 8 à 11 % de son revenu national pour sa défense. Ces charges s'élevèrent à 22 % de 1968 à 1972, et à plus de 30 % après 1974. Sans l'aide financière des États-Unis, l'économie d'Israël s'effondrerait. En 1985, cette aide fut de 5 milliards de dollars.

Index

Origine des photographies
Première page de couverture et page 30 : UNRWA ; page 8 : Topham ; pages 12, 13, 20, 24, 26, 27, 29 et dernière page de couverture : Frank Spooner ; pages 14-15 : Colorific ; pages 16 et 17 : Tordai ; pages 20-21 : Palestine Medical Aid ; page 22 : Rex Features ; pages 23 et 27 : Magnum/John Hillelson ; pages 23 et 24-25 : Stern.

proost
INTERNATIONAL BOOK PRODUCTION
PRINTED IN BELGIUM BY